Clara Pérodeau

Sous la direction de S. Coutausse
Illustrations : Aglaée & Noé
Mise en page : F. Rey

© 2007 Scarabéa jeunesse
34-38 rue Blomet - 75015 Paris - France - Tel. (33) 01 45 56 02 85
Tous droits réservés

ISBN 978-2-84914-011-6

 Imprimé en Chine en décembre 09
par Book Partners China Ltd

# Berceuses et comptines des tout-petits

# Sommaire

(1)

Le numéro que tu vois
dans le petit pois
correspond à l'ordre
des chansons
sur ton CD.

# Une poule sur un mur

Une poule sur un mur
Qui picote du pain dur
Picoti, picota,
Lève la queue et puis s'en va.

À la soupe !

À la soupe, soupe, soupe,
Au bouillon, ion, ion,
La soupe à l'oseille,
C'est pour les demoiselles,
La soupe à l'oignon,
C'est pour les garçons.

Dans la forêt lointaine,
On entend le coucou.
Du haut de son grand chêne,
Il répond au hibou :
Coucou, coucou !
On entend le coucou.

# Alouette

Alouette, gentille alouette,
Alouette, je te plumerai.

Je te plumerai la tête (bis)
Et la tête (bis)
Alouette (bis)
Ah !

Je te plumerai le bec (bis)
Et le bec (bis)
Et la tête (bis)
Alouette (bis)
Ah !

Je te plumerai le cou... le ventre... le dos...
les ailes... la queue... les pattes...

# Le petit ver de terre

Qui a vu, dans la rue
Le petit ver de terre ?
Qui a vu, dans la rue
Le petit ver tout nu.

C'est la grue, qui a vu
Le petit ver de terre !
C'est la grue, qui a vu
Le petit ver tout nu.

Dans laitue, disparu
Le petit ver de terre !
Dans laitue, disparu
Le petit ver tout nu.

Et la grue, n'a pas eu
Le petit ver de terre !
Et la grue, n'a pas eu
Le petit ver tout nu.

# Le P'tit Quinquin

Dors, mon p'tit Quinquin,
Mon p'tit poussin, mon gros raisin.
Tu me feras du chagrin,
Si tu ne dors point jusqu'à demain.

Dors, min p'tit Quinquin,
Min p'tit pouchin, min gros rogin
Te m'feras du chagrin,
Si te n'dors point ch'qu'à d'main.

# Bateau, ciseau

Bateau, ciseau, la rivière, la rivière,
Bateau, ciseau, la rivière au bord de l'eau.

Le bateau s'est renversé,
Dans la rue des chiffonniers.
Qu'est ce que la marraine ?
C'est une hirondelle !
Qu'est ce que le parrain ?
C'est un gros lapin !

# Ainsi font, font, font

Ainsi font, font, font,
Les petites marionnettes,
Ainsi font, font, font,
Trois petits tours
Et puis s'en vont.

Les mains aux côtés,
Sautez, sautez, marionnettes,
Les mains aux côtés,
Marionnettes, recommencez.

La taille courbée,
Tournez, tournez, marionnettes,
La taille courbée,
Marionnettes, recommencez.

Puis le front penché,
Tournez, tournez, marionnettes,
Puis le front penché,
Marionnettes, recommencez.

# 1 2 3, Allons dans les bois

1, 2, 3

Allons dans les bois

4, 5, 6

Cueillir des cerises,

7, 8, 9

Dans mon panier neuf

10, 11, 12

Elles seront toutes rouges.

# J'aime la galette

J'aime la galette,
Savez-vous comment ?
Quand elle est bien faite,
Avec du beurre dedans.
Tra la la la la la la la lalère
Tra la la la la la la la la. (bis)

Quand trois poules vont aux champs,
La première va devant,
La deuxième suit la première,
La troisième vient la dernière.
Quand trois poules vont aux champs,
La première va devant.

# Petit escargot

Petit escargot
Porte sur son dos
Sa maisonnette.
Aussitôt qu'il pleut,
Il est tout heureux,
Il sort sa tête !

# Un canard a dit à sa cane

Un canard a dit à sa cane :
Ris, cane ; ris, cane.
Un canard a dit à sa cane :
Ris, cane ; et la cane a ri.

# La barbichette

Je te tiens
Tu me tiens
Par la barbichette.

Le premier
De nous deux
Qui rira
Aura une tapette !

# Un kilomètre à pied

Un kilomètre à pied,
Ça use, ça use
Un kilomètre à pied,
Ça use les souliers

Deux kilomètres...
Trois kilomètres...

# Am stram gram

Am stram gram
Pic et pic et colégram
Bourre et bourre et ratatam
Am stram gram
Pic !

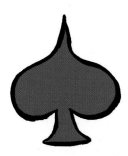

Un petit bonhomme
Assis sur une pomme
La pomme dégringole
Le petit bonhomme s'envole
Sur le toit d'un maître d'école.

# Un petit cochon

Un petit cochon
Pendu au plafond
Tirez-lui le nez
Il donnera du lait !
Tirez-lui la queue
Il pondra des œufs !

Combien
en voulez-vous ?

LAIT

# Pomme de reinette

Pomme de reinette et pomme d'api
Tapis tapis rouge
Pomme de reinette et pomme d'api
Tapis tapis gris.

# Le grand cerf

Dans sa maison, un grand cerf,
Regardait par la fenêtre,
Un lapin venir à lui,
Et frapper à l'huis :

Cerf, cerf, ouvre-moi !
Ou le chasseur me tuera !
Lapin, lapin, entre et viens,
Me serrer la main !

# Monsieur Pouce

Toc, toc, toc
Monsieur Pouce, es-tu là ?
Chut ! Je dors.

Toc, toc, toc
Monsieur Pouce, es-tu là ?
Oui, je sors.

# Les petits poissons

Les petits poissons dans l'eau
Nagent, nagent, nagent, nagent, nagent,
Les petits poissons dans l'eau
Nagent aussi bien que les gros,
Nagent comme il faut.
Les gros, les petits
Nagent bien aussi.

Il était une fois,
Une marchande de foie,
Qui vendait du foie,
Dans la ville de Foix.

Elle se dit : Ma foi !
C'est la dernière fois,
Que je vends du foie,
Dans la ville de Foix !

# Encore un carreau de cassé

Encore un carreau de cassé,
Voilà le vitrier qui passe,
Encore un carreau de cassé,
Voilà le vitrier de passé.

Voilà le vitrier, voila le vitrier,
Voilà le vitrier qui passe
Voilà le vitrier, voila le vitrier,
Voilà le vitrier de passé !

# Meunier, tu dors !

Meunier, tu dors,
Ton moulin, ton moulin va trop vite,
Meunier, tu dors,
Ton moulin va trop fort

Ton moulin, ton moulin va trop vite,
Ton moulin, ton moulin va trop fort.

# Une souris verte

Une souris verte,
Qui courait dans l'herbe,
Je l'attrape par la queue,
Je la montre à ces messieurs.
Ces messieurs me disent :
Trempez-la dans l'huile,
Trempez-la dans l'eau,
Ça fera un escargot
Tout chaud.

Je la mets dans un tiroir,
Elle me dit : Il fait trop noir,
Je la mets dans mon chapeau,
Elle me dit : Il fait trop chaud.

Je la mets dans ma culotte
Elle me fait

trois petites crottes !

# Pêche pomme poire

Pêche, pomme, poire, abricot,
Y'en a une, y'en a une,
Pêche, pomme, poire, abricot,
Y'en a une de trop.

C'est l'abricot
Qui est en trop !

# Une araignée

Une araignée sur le plancher,
Se tricotait des bottes.
Dans un flacon, un limaçon
Enfilait sa culotte.

Je vois dans le ciel :
Une mouche à miel
Pinçant sa guitare.
Les rats tout confus
Sonnent  l'angélus
Au son de la fanfare !

# J'ai perdu le do

J'ai perdu le do de ma clarinette
J'ai perdu le do de ma clarinette
Ah ! Si papa il savait ça, tra la la
Ah ! Si papa il savait ça, tra la la
Il dirait : Ohé ! Ohé !
Tu ne connais pas la cadence
Tu ne sais pas comment l'on danse
Tu ne sais pas danser
Au pas cadencé !

Au pas, camarade
Au pas camarade
Au pas, au pas, au pas
Au pas camarade
Au pas camarade
Au pas, au pas, au pas.
Au pas, au pas.

On continue avec toutes les notes
de la gamme :
J'ai perdu le ré de ma clarinette...
J'ai perdu le mi de ma clarinette...
J'ai perdu le fa de ma clarinette...
J'ai perdu le sol de ma clarinette...
J'ai perdu le la de ma clarinette...
J'ai perdu le si de ma clarinette...
J'ai perdu le do de ma clarinette...

# Ah !
# Vous dirai-je maman ?

Ah ! Vous dirai-je, maman,
Ce qui cause mon tourment ?
Papa veut que je raisonne,
Comme une grande personne.
Moi, je dis que les bonbons,
Valent mieux que la raison !

# Y'a une pie dans le poirier

Y'a une pie dans le poirier,
J'entends la pie qui chante,
Y'a une pie dans le poirier,
J'entends la pie chanter.
J'entends, j'entends,
J'entends la pie qui chante,
J'entends, j'entends,
J'entends la pie chanter.

# La bonne aventure

Je suis un petit poupon
De bonne figure
Qui aime bien les bonbons
Et les confitures.
Si vous voulez m'en donner,
Je saurai bien les manger.
La bonne aventure, ô gué,
La bonne aventure.

Lorsque les petits garçons
Sont gentils et sages,
On leur donne des bonbons,
De belles images,
Mais quand ils se font gronder
C'est le fouet qu'il faut donner.
La triste aventure, ô gué,
La triste aventure.

Je serai sage et bien bon
Pour plaire à ma mère,
Je saurai bien ma leçon,
Pour plaire à mon père.
Je veux bien les contenter
Et s'ils veulent m'embrasser
La bonne aventure ô gué,
La bonne aventure.

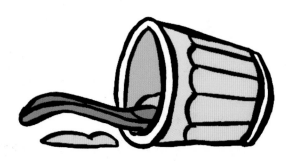

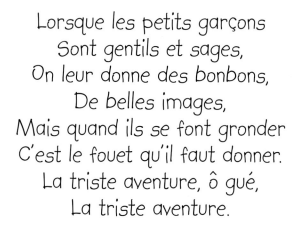

# Passe, passera

Passe, passe, passera,
La dernière, la dernière,
Passe, passe, passera,
La dernière restera.

Qu'est-ce qu'elle a donc fait
La petite hirondelle ?
Elle nous a volé
Trois petits grains de blé.

Nous l'attraperons,
La petite hirondelle,
Nous lui donnerons
Trois petits coups de bâton !

# Vent frais

Vent frais, vent du matin,
Vent qui souffle au sommet des grands pins,
Joie du vent, qui souffle, allons dans le grand
Vent frais, vent du matin ...

# Derrière chez moi

Derrière chez moi devinez ce qu'il y a ? (bis)
Y'a un arbre, le pus bel arbre,
Arbre du bois, petit-bois derrière chez moi.

Et la lon la lon lère et la lon la lon la
Et la lon la lon lère et la lon la lon la

Et sur cet arbre devinez ce qu'il y a ? (bis)
Y'a une branche, la plus belle des branches,
Branche sur l'arbre, arbre du bois,
Petit-bois derrière chez moi.

Et sur cette branche devinez ce qu'il y a ?
Y'a une feuille…
Et sur cette feuille…
Y'a un nid…

Derrière chez moi

Et dans ce nid devinez ce qu'il y a ?
Y'a une aile...

Et sur cette aile, devinez ce qu'il y a ?
Y'a une plume...

Et sur cette plume, devinez ce qu'il y a ?
Y'a une poêle...

Et dans ce poêle, devinez ce qu'il y a ?
Y'a un feu ...

Et dans ce feu, devinez ce qu'il y a ?
Y'a un arbre ...

# Le furet

Il court, il court, le furet,
Le furet du bois, Mesdames,
Il court, il court, le furet,
Le furet du bois joli.

Il est passé par ici,
Il repassera par là.

Il court, il court, le furet,
Le furet du bois, Mesdames,
Il court, il court, le furet,
Le furet du bois joli.

# Petit papa

Petit papa, c'est aujourd'hui ta fête,
Maman m'a dit que tu n'étais pas là.
J'avais des fleurs pour couronner ta tête
Et un bouquet pour mettre sur ton cœur.
Petit papa, petit papa.

# La cloche du vieux manoir

C'est la cloche du vieux manoir,
Du vieux manoir,
Qui sonne le retour du soir,
Le retour du soir.
Ding, ding, dong !

# Ding, ding, dong !

Frère Jacques

Frère Jacques, frère Jacques
Dormez-vous ? Dormez-vous ?
Sonnez les matines,
Sonnez les matines
Ding, ding, dong !
Ding, ding, dong !

# Dodo, l'enfant do

Dodo, l'enfant do,
L'enfant dormira bien vite,
Dodo, l'enfant do,
L'enfant dormira bientôt.

# Gentil coquelicot

Je descendis dans mon jardin (bis)
Pour y cueillir du romarin.

Gentil coquelicot, Mesdames,
Gentil coquelicot nouveau !

Je n'en avais pas cueilli trois brins (bis)
Qu'un rossignol vint sur ma main.

Il me dit trois mots en latin (bis)
Que les hommes ne valent rien.

Et les garçons encore bien moins ! (bis)
Des dames, il ne me dit rien.

Des dames, il ne me dit rien.
Mais des demoiselles beaucoup de bien.

# Mon petit oiseau

Mon petit oiseau,
A pris sa volée (bis)
A pris sa, à la volette (bis)
A pris sa volée.

Est allé se mettre, sur un oranger
Sur un o, à la volette (bis)
Sur un oranger.

La branche était sèche
Et elle s'est cassée (bis)
Et elle s'est, à la volette (bis)
Et elle s'est cassée.

Mon petit oiseau,
Où t'es-tu blessé ? (bis)
Où t'es-tu, à la volette (bis)
Où t'es-tu blessé ?

Je me suis cassé l'aile,
Et tordu le pied (bis)...

Mon petit oiseau,
Veux-tu te soigner ? (bis)...

Je veux me soigner,
Et me marier (bis)...

Me marier bien vite
Sur un oranger (bis)
Sur un o, à la volette (bis)
Sur un oranger.

# Flic, flac, floc

Flic, floc,
Flic, flac, floc,
C'est la pluie qui tombe.
Flic, floc,
Flic, flac, floc,
De plus en plus fort.

Flic, floc,
Flic, flac, floc,
C'est la pluie qui mouille.
Et qui me chatouille
Me voilà trempée
De la tête aux pieds !

# Colas mon petit frère

Fais dodo, Colas mon petit frère,
Fais dodo, t'auras du lolo.

Maman est en haut qui fait du gâteau,
Papa est en bas qui fait du chocolat.

Fais dodo, Colas mon petit frère ...

Ta sœur est en haut, qui fait du chapeau,
Ton frère est en bas, qui fait des nougats,

Fais dodo, Colas mon petit frère ...

Ton cousin Gaston fait des gros bonbons,
Ta cousine Charlotte fait de la compote.

Fais dodo, Colas mon petit frère,
Fais dodo, t'auras du lolo.

# Scions du bois

Scions, scions, scions du bois
Pour la mère, pour la mère,
Scions, scions, scions du bois
Pour la mère à Nicolas.
Qu'a cassé ses sabots
En mille morceaux.

# Au feu, les pompiers !

Au feu, les pompiers,
Voilà la maison qui brûle !
Au feu, les pompiers,
Voilà la maison brûlée !

C'est pas moi qui l'ai brûlée,
C'est la cantinière.
C'est pas moi qui l'ai brûlée,
C'est le cantinier.

Au feu, les pompiers,
Voilà la maison qui brûle !
Au feu, les pompiers,
Voilà la maison brûlée !

# Au clair de la lune

Au clair de la lune,
Mon ami Pierrot,
Prête-moi ta plume
Pour écrire un mot ;
Ma chandelle est morte,
Je n'ai plus de feu,
Ouvre-moi ta porte
Pour l'amour de Dieu.

Au clair de la lune,
Pierrot répondit :
Je n'ai pas de plume,
Je suis dans mon lit.
Va chez la voisine,
Je crois qu'elle y est,
Car dans sa cuisine,
On bat le briquet.

Au clair de la lune,
S'en fut Arlequin
Frapper chez la brune,
Elle répond soudain :
Qui frappe de la sorte ?
Il dit à son tour :
Ouvrez votre porte,
Pour le dieu d'amour !

Au clair de la lune
On n'y voit qu'un peu.
On chercha la plume,
On chercha du feu.
En cherchant de la sorte,
Je ne sais ce qu'on trouva ;
Mais je sais que la porte
Sur eux se ferma.

# V'là le bon vent

Derrière chez nous y'a un étang (bis)
Trois beaux canards s'en vont baignant.

V'là le bon vent, v'là le joli vent
V'là le bon vent, ma mie m'appelle,
V'là le bon vent, v'là le joli vent
V'là le bon vent, ma mie m'attend.

Le fils du roi s'en va chassant (bis)
Avec son beau fusil d'argent.

Visa le noir, tua le blanc (bis)
Ô fils du roi, tu es méchant.

D'avoir tué mon canard blanc (bis)
Par-dessous l'aile, il perd son sang.

Par les yeux lui sortent des diamants (bis)
Et par le bec l'or et l'argent.

Toutes ses plumes s'en vont au vent (bis)
Trois dames s'en vont les ramassant.

C'est pour en faire un lit de camp (bis)
Pour y coucher tous les passants.

Mon beau sapin, roi des forêts,
Que j'aime ta verdure !
Quand par l'hiver, bois et guérets,
Sont dépouillés de leurs attraits,
Mon beau sapin, roi des forêts,
Tu gardes ta parure !

Toi que Noël planta chez nous,
Au saint anniversaire !
Joli sapin, comme ils sont doux,
Et tes bonbons, et tes joujoux !
Toi que Noël planta chez nous,
Tout brillant de lumière !

Mon beau sapin, tes verts sommets
Et leur fidèle ombrage !
De la foi qui ne ment jamais,
De la constance, et de la paix,
Mon beau sapin, tes verts sommets
M'offrent la douce image.